OLÁ, SONHADORES!

Sejam muito bem-vindos ao universo do **Gato Galactico**! Estou muito feliz com a companhia de vocês nesta jornada! Apertem os cintos e se preparem para embarcar comigo em uma viagem cheia de magia e alegria! Vamos explorar uma galáxia repleta de imaginação, fantasia e criatividade! Vai ser demais!

Vamos nessa?!

FORÇA MIAU! RONI

1

2

4

3

5

RONI

Sou uma pessoa extremamente sonhadora e criativa! Adoro imaginar histórias e criar aventuras!

6

7

Vamos começar com as apresentações. Muito prazer, eu sou o **Roni**! Hehe!

8

9

10

O meu melhor amigo é o **Astro**, e moramos juntos na Mansão Miau! Isso quando ele não está viajando por aí, explorando outros planetas e galáxias.

Eu tenho uma missão muito especial: proteger o **Lápis Prismágico**! Ele é capaz de dar vida aos desenhos e às ideias criativas, então não pode cair em mãos erradas em hipótese alguma. Você sabe de quais mãos eu estou falando, né?

Eu amo brincar com os meus amigos, e vivemos muitas aventuras juntos!

11

12

13

14

15

16

Também tenho uma grande paixão pelas artes, e acredito que um mundo criativo pode ser muito mais colorido e feliz!

17

18

A nossa mente é incrível, e dar asas à nossa imaginação é MIAUTÁSTICO!

ASTRO

Esse é o **Astro**, um gato espacial superaventureiro!

19

20

21

22

Já contei antes que ele é o meu melhor amigo, né? Mas não custa repetir! Hehe!

23

24

Ele adora explorar o Universo e passa a maior parte do seu tempo em missões espaciais!

25

26

27

Cada vez que ele retorna de uma expedição, nós nos reunimos para ouvir todas as histórias e segredos espaciais.

Afinal, o Astro é um grande conhecedor do Universo. Ele ama explorar o Cosmos e fazer novas descobertas!

28

29

Ele diz que, em breve, vai se aposentar de suas missões intergalácticas e passará a viver de vez com a gente. Enquanto esse dia não chega, vamos aproveitando os momentos que temos com ele por aqui!

30

31

VILA LÁCTEA

Seja muito bem-vindo à **Vila Láctea**, o lugar que é palco de grandes eventos, aventuras e confusões! Eu e toda a turma vivemos por aqui, e costumamos nos dar muito bem!

De vez em quando, a harmonia da vila é ameaçada por um certo gato mal-intencionado, que vive tentando causar intrigas. Mas os moradores sempre se unem, e o bem vence o mal! Afinal, a Vila Láctea é um lugar de amor e alegria! Vamos fazer um *tour* pela vila?

38
39
4
40
41
42
43

MANSÃO MIAU

Imagine um lugar cheio de magia, onde tudo pode acontecer! Este lugar não só existe, como eu moro nele: é a **Mansão Miau**! Aqui, vivemos muitas aventuras e nos reunimos para as mais variadas bagunças e brincadeiras. Este também é o nosso ponto de encontro quando precisamos desvendar mistérios e conectar os nossos corações para enfrentarmos grandes missões.

Eu moro aqui com o Astro, como já contei anteriormente, mas a mansão está sempre cheia, pois os nossos amigos adoram passar o tempo por aqui com a gente! Isso é ótimo, pois eles deixam a casa mais alegre e animada!

44

45

46

47

48
49
50
51
52
53
54
55
56

LUNA

Seguindo com as apresentações, esta é a **Luna**, uma amiga muito especial!

Supercarinhosa e gentil, Luna é o tipo de pessoa que sempre tem um abraço e um ombro amigo a oferecer! Ela adora ajudar e dar conselhos e é capaz de nos ouvir com o coração.

57

58

59

60

Apesar de ter esse jeitinho fofo de ser, ela não pensa duas vezes quando precisa defender um amigo, pois valoriza muito as suas amizades e não aceita injustiças.

61

62

O seu brinquedo preferido é um ursinho de pelúcia rosa chamado Minguante, e Luna interage com ele como se tivesse vida própria! Todos os dias, antes de dormir, ela canta para o Minguante e conta como foi o seu dia e todas as aventuras que viveu.

Ela é a minha melhor amiga, e estamos sempre juntos!

63

64

65

Luna também é muito amiga da Mimi, pois elas têm em comum uma grande paixão pela magia e pela fantasia.

66

67

68

69

A verdade é que Luna é uma amiga muito querida por todos e sempre vivemos muitos momentos legais juntos!

MIMI

Esta é a **Mimi**, a amiga mais divertida e atrapalhada do grupo!

70

71

72

Ela é completamente apaixonada por livros e contos de fadas e parece estar sempre vivendo uma linda história, repleta de magia.

73

74

75

Muitas vezes, a Mimi viaja para tão longe enquanto lê que acaba tropeçando nas coisas ou se metendo em alguma confusão.

76

Mesmo com o seu jeitinho todo atrapalhado, nós gostamos muito dela e amamos quando ela compartilha as suas histórias preferidas com a turma.

79

77

78

80

Os livros, aliás, são companheiros fiéis da Mimi. Graças à sua paixão pela leitura, ela se tornou uma menina muito inteligente e dona de uma imaginação sem limites!

81

82

As brincadeiras com ela são sempre muito divertidas e criativas!

NINA

Já a **Nina** é superapaixonada por futebol e esportes em geral!

83

84

85

Ela está sempre com uma bola debaixo do braço, pronta para entrar em campo.

86

87

88

É a amiga mais competitiva do grupo e sempre leva qualquer jogo muito a sério, pois adora vencer as disputas.

A vontade de ganhar é tão grande, que muitas vezes ela queima a largada em uma brincadeira antes mesmo de terminar de ouvir as regras! Hahaha! A gente morre de rir com ela!

Mas também devemos reconhecer que, apesar de ser um pouquinho acelerada às vezes, ela sabe liderar um time como ninguém, pois aprendeu a importância do espírito de equipe.

91

89

90

Brincar com a Nina é sempre muito legal e divertido, pois ela tem energia e animação para dar e vender!

92

93

94

95

E.I

ESCOLA INTERGALÁCTICA

Chegamos à **Escola Intergaláctica**! Liderada pela Professora Nefasta, é um ambiente muito alegre e divertido! Por aqui, os dias são sempre animados!

A gente estuda, descobre coisas novas, faz experiências incríveis e, claro, também apronta umas baguncinhas de vez em quando... Hehe! Mas tudo com muito respeito e alegria sempre!

Cada dia de aula é uma nova oportunidade para crescer, aprender e dar boas risadas com os colegas! A turminha da nossa sala é muito especial! Todo mundo se ajuda, compartilha ideias e coopera, fazendo com que o ambiente fique ainda mais legal!

96

97

98

99

100

GATO
GALACTICO

P1
P2
P3
P4
P5

ESTE PÔSTER É PARTE INTEGRANTE DO LIVRO ILUSTRADO OFICIAL GATO GALACTICO.

GATO GALACTICO

P6
P7
P8
P9
P10

Pixel

101

102

103

104

105

106

107

PROFESSORA NEFASTA

Esta é a divertida **Professora Nefasta**. Apesar do seu nome assustador e do seu visual peculiar, ela é alegre, cheia de energia e ideias criativas, além de ter um jeito único de ensinar que conquista a todos!

108

109

110

A sua verdadeira identidade mágica nunca foi revelada, mas eu vou confessar para vocês que já senti algo diferente nela. Um toque de magia que não sei explicar muito bem! Só sei que ela é uma pessoa especial!

111

112

113

TURMA DO GATO GALACTICO

Pense em um grupo formado por pessoas muito diferentes, mas que se amam, se respeitam e, principalmente, se divertem muito juntas! Assim é a Turma do Gato Galactico!

Afinal, amizade é saber respeitar as diferenças e gostar do outro exatamente como ele é! Cada um de nós tem o seu jeito único de ser, os seus gostos e as suas preferências, mas, juntos, formamos um time incrível, cheio de energia e alegria! Essa é a nossa turminha!

114

115

116

117

118

119

GATO LUNÁTICO

Sim! É ele! O terrível vilão lunático! Eu preferia mil vezes não ter que apresentá-lo a vocês, mas é melhor que o conheçam e que mantenham muita distância dele!

120

121

122

123

Totalmente malvado e rancoroso, o Gato Lunático adora surpreender a todos com os seus planos maquiavélicos e nunca desiste fácil de seus objetivos.

124

125

O grande sonho dele é roubar o Lápis Prismágico, pois ele sabe todo o poder que esse item possui. Mas eu sou um bom guardião e jamais vou permitir que isso aconteça!

126

127

128

129

130

131

HERÓIS PRISMÁGICOS

Em um mundo cheio de aventura e emoção, existe um grupo de heróis supercoloridos que está sempre pronto para entrar em ação: os **Heróis Prismágicos**!

Cada um de nós possui um poder especial e é representado por uma cor. Juntos, nós sincronizamos os nossos corações e usamos a prismagia para enfrentar o mal, espalhar o bem e mostrar que, com união e coragem, tudo é possível!

EU SOU O HERÓI VERDE E SEMPRE TRAGO MUITA ESPERANÇA PARA O GRUPO!

133

A MIMI É A HEROÍNA ROXA E CONTRIBUI COM TODA A SUA IMAGINAÇÃO!

132

134

JÁ A LUNA É REPRESENTADA PELA COR AZUL E TRANSMITE MUITA PAZ!

E A NINA É A HEROÍNA AMARELA E POSSUI UMA ENERGIA INSUPERÁVEL!

135

136

NÓS SOMOS OS HERÓIS PRISMÁGICOS!

CONTRA NÓS, OS VILÕES NÃO TÊM VEZ!

137

138

139

FORÇA COLORIDA!

140

141

142

143

IMAGINAÇÃO E CRIATIVIDADE MODE ON!

Sabia que, assim como os Heróis Prismágicos, você também possui poderes especiais dentro de si? Pois é! Estou falando da imaginação e da criatividade!

144

145

Elas são melhores amigas e, juntas, nos ajudam a inventar brincadeiras, criar desenhos, viver aventuras e produzir arte!

Eu e minha turma somos completamente apaixonados pela arte de criar e, nas horas vagas, estamos sempre fazendo as mais diferentes artes e experiências galácticas! Que tal conferir algumas delas?

146

147

148

149

150

151

152

153

154

155

156

157

158

159

160

161

162

PLAYLIST GALÁCTICA

Você sabia que as músicas também têm superpoderes? Pois é! Elas são capazes de fazer a gente sorrir, dançar, sonhar e até sentir coisas que nós nem sabíamos que estavam guardadas em nossos corações!

As músicas alegres nos enchem de energia, já as calmas são como abraços quentinhos. Elas ainda nos ajudam a aprender coisas novas, brincar, imaginar e lembrar de momentos especiais! Eu simplesmente amo música e tudo o que ela nos oferece e, por esse motivo, estou sempre criando canções para embalar os momentos felizes!

Você já conhece a *playlist* galáctica? Qual é a sua música favorita? Aperte o *play* e deixe a magia da música tomar conta de você!

163

164

165

166

167

168

169

170

171

172

173

174

175

176

177

178

179

180

181

182

LUZ, CÂMERA... DIVERSÃO!

183

184

Prepare o balde de pipoca, porque o filme já vai começar! Hehe! Eu sempre fui apaixonado por filmes e sou muito feliz por ter estrelado alguns dos meus preferidos! Já são três filmes lançados, e espero poder participar de muitos mais, trazendo sempre um universo de magia e diversão para as crianças e as famílias! E aí, você já conhece todas essas aventuras? Vamos desbravá-las!

185

186

ACAMPAMENTO INTERGALÁCTICO

Ronaldo acredita em ETs e tem, desde criança, um meteorito que caiu do céu como sua maior prova. Ele e sua irmã, Marina, acabam de ganhar um convite para conhecer o Acampamento Intergaláctico. Será que agora ele conseguirá desvendar os segredos do Universo e provar a sua crença? Só existe uma forma de descobrir: com diversão, ciência e música!

187

188

189

190

191

192

OPERAÇÃO RESGATE

A Escola Intergaláctica está em perigo! Roni descobriu que Viktor, um poderoso empresário, está planejando demolir tudo para a construção de um novo *shopping* na cidade. Agora, Roni e os amigos precisam unir forças e agir rápido para impedirem que o plano seja colocado em ação, pois eles não podem perder o lugar onde os seus sonhos começaram.

193

194

195

196

GATO GALACTICO E O FEITIÇO DO TEMPO

Roni ganha um misterioso relógio mágico. Assim, tentando desvendar os poderes do objeto, ele vai parar em um vilarejo encantado, onde o tempo está congelado e as crianças estão desaparecendo. Disposto a salvar a população, Roni se une aos amigos para enfrentar o terrível Perpétuo e, durante essa aventura, acaba descobrindo laços únicos com seu bisavô.

Chegamos ao fim desta incrível viagem, e espero que você tenha curtido tanto quanto eu! Foi muito legal poder apresentar todo o meu universo para você, e desejo que você possa se inspirar nele para criar o seu próprio mundo, com bastante criatividade, magia e fantasia! A gente se vê em breve! Um grande beijo... e lembre-se: o sonho é **CRIAR PARA SEMPRE!**

FORÇA MIAU!

197	198
199	200
201	202